GARFIELD

s'en foot

D1537286

PAR JIM DAVIS

PAR JIM DAVIS

GARFIELD
s'en foot

TRADUIT DE L'AMÉRICAIN PAR
JEAN-ROBERT SAUCYER

Publié par **Presses Aventure**, une division de
Les Publications Modus Vivendi Inc.
3859, autoroute des Laurentides
Laval (Québec) H7L 3H7
Canada

Dépot légal: 1er trimestre 2003
Bibliothèque nationale du Québec
Bibliothèque nationale du Canada
Bibliothèque nationale de France

Traduction de: Garfield Bigger than Life
ISBN 2-89543-106-X

Canada Nous reconnaissons l'aide financière du gouvernement du Canada par l'entremise du Programme d'aide au développement de l'industrie de l'édition (PADIÉ) pour nos activités d'édition.

«Gouvernement du Québec – Programme de crédit d'impôt pour l'édition de livres – Gestion SODEC »

Comment dessiner *Garfield*

1.

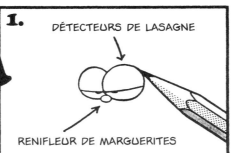

DÉTECTEURS DE LASAGNE

RENIFLEUR DE MARGUERITES

2.

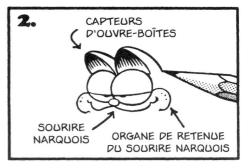

CAPTEURS D'OUVRE-BOÎTES

SOURIRE NARQUOIS

ORGANE DE RETENUE DU SOURIRE NARQUOIS

3.

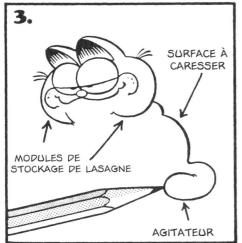

SURFACE À CARESSER

MODULES DE STOCKAGE DE LASAGNE

AGITATEUR

4.

DRAIN DES BOULES DE POILS

RAMASSE-POUSSIÈRE

DÉCHIQUETEUR DE FAUTEUILS

5.

JE SUIS BIEN PLUS QU'UN JOLI MINOIS

RAYURES

MAINTENANT, AJOUTEZ LA PERSONNALITÉ

JIM DAVIS

VOICI LILI, MON AMIE LA FOURMI. ELLE EST MIGNONNE, CALME ET LABORIEUSE

8-31

JIM DAVIS

SPLAT!

FEU LILI LORGNAIT ÉGALEMENT MA LASAGNE

© 1979 United Feature Syndicate, Inc.

9-1

© 1979 United Feature Syndicate, Inc.

QUOI DONC? OÙ ÇA?

IL M'A ENCORE EU!

JIM DAVIS

DEVINE QUOI, GARFIELD! PAPA ET MAMAN PARTENT UNE SEMAINE EN VACANCES ET NOUS SERONS LES BABY-SITTERS DE LEUR CHATON

9-3

VOICI NERMAL

RÉVEILLE-MOI DANS UNE SEMAINE

© 1979 United Feature Syndicate, Inc. JIM DAVIS

JE DOIS JOUER LES NOURRICES DE NERMAL PENDANT UNE SEMAINE. IL EST MIGNON

9-4   © 1979 United Feature Syndicate, Inc.

JE HAIS LES MIGNONS

JIM DAVIS

PAS TOUCHE, JACK. JE VAIS FAIRE UN MALHEUR COMME MODÈLE DE CARTES POSTALES

ENLÈVE CES PATINS À ROULETTES, GARFIELD, TU ES RIDICULE

© 1979 United Feature Syndicate, Inc.

9-7

JIM DAVIS

NERMAL RENTRE CHEZ LUI. FAIS-LUI TES ADIEUX, GARFIELD

9-8

JE COMMENÇAIS À L'APPRÉCIER, CE PETIT

COMME ON APPRÉCIE UNE GRIPPE INTESTINALE

JIM DAVIS   © 1979 United Feature Syndicate, Inc.

SPLASH!

AIE! UNE LAME DE FOND M'EMPORTE AU LOIN

JE SUIS TROP JEUNE POUR MOURIR!

9-9

JE VOIS LES GRANDS TITRES : « CHAT CÉLÈBRE PERDU EN MER. DES MILLIONS DE JOLIES CHATONNES EN DEUIL »

JE N'Y ARRIVERAI PAS! JE COULE POUR LA TROISIÈME FOIS!

© 1978 United Feature Syndicate, Inc.

J'IRAIS À TA RESCOUSSE, GARFIELD. MAIS JE NE DONNERAIS PAS LA RESPIRATION ARTIFICIELLE À UN MATOU

JIM DAVIS

EUF

TIENS! VOICI UN GENTIL ENDROIT OÙ ROUPILLER

JE T'EN PRIE, GARFIELD

SACCAGE, PILLAGE ET DÉVASTATION!

BONK!

GÉMISSEMENTS, CRIS ET LARMES, CLOPIN-CLOPANT

JE PRÉFÈRE TE TENIR EN LAISSE POUR LA PROMENADE

ALLONS, GARFIELD! CE N'EST PAS SI MAL

© 1979 United Feature Syndicate, Inc. JIM DAVIS

9-12

JE SAIS QUE TU N'AIMES PAS TA LAISSE, GARFIELD. MAIS LES PASSANTS ME DÉVISAGENT

ALORS, CESSE TON CIRQUE!

JIM DAVIS

© 1979 United Feature Syndicate, Inc.

9-13

ODIE, JE NE TE LE RÉPÉTERAI PLUS

SAIS-TU CE QUE J'APPRÉCIE LE PLUS CHEZ TOI, GARFIELD?

JE SAIS OÙ SE TROUVE MA LITIÈRE

TU SAIS OÙ SE TROUVE TA LITIÈRE

9-14

JIM DAVIS

CERTAINS AFFIRMENT QUE LES ANIMAUX SONT MALPROPRES

© 1979 United Feature Syndicate, Inc.

9-15

C'EST PEUT-ÊTRE VRAI

MAIS JE VOUDRAIS VOIR COMMENT VOUS FERIEZ SI VOUS DEVIEZ MANGER SANS UTILISER VOS MAINS

JIM DAVIS

SMACK
MIAM
SLURP

CLIC!

9·16

ZZZ

ZZZ

JIM DAVIS

J'IGNORAIS QUE LES CHATS PEUVENT MANGER EN DORMANT

MAIS JE SAIS QU'ILS NE PEUVENT AIGUISER LEURS GRIFFES EN DORMANT

JE N'AURAIS PAS DÛ EXAGÉRER

© 1979 United Feature Syndicate, Inc.

MESDAMES ET MESSIEURS, JE DÉCLARE CETTE SEMAINE, **LA SEMAINE DES GROS LARDS**

© 1979 United Feature Syndicate, Inc.

C'EST UNE SEMAINE PENDANT LAQUELLE TOUS LES VENTRIPOTENTS DOIVENT SORTIR DU PLACARD

9-17

CEUX QUI ONT PU Y ENTRER, S'ENTEND

JIM DAVIS

C'EST LA SEMAINE DES GROS LARDS. JE VEUX QUE TOUS LES REPLETS DISENT D'UNE SEULE VOIX : «JE SUIS GROS ET FIER DE L'ÊTRE!»

1979 United Feature Syndicate, Inc. JIM DAVIS

PLUS FORT: «JE SUIS GROS ET FIER DE L'ÊTRE!»

9-18

VOUS, LA DONDON À MIAMI, JE NE VOUS AI PAS ENTENDUE!

VOICI UN TUYAU DESTINÉ AUX REPLETS À L'OCCASION DE LA SEMAINE DES GROS LARDS

NE PRENEZ PAS D'EXERCICE, VOUS SEREZ PLUS HEUREUX

VOUS AVEZ DÉJÀ VU SOURIRE UN ADEPTE DU JOGGING ?

9-19

JIM DAVIS

VOICI UNE PLAISANTERIE À L'OCCASION DE LA SEMAINE DES GROS LARDS

9-20

JIM DAVIS

COMBIEN DE MAIGRICHONS FAUT-IL POUR EMPLIR UNE CABINE DE DOUCHE ?

JE L'IGNORE. ILS FUIENT PAR LE TUYAU D'ÉCOULEMENT

VOICI LE TABLEAU DES POIDS ET TAILLES DE LA SEMAINE DES GROS LARDS

SELON CE QU'ON EN DIT, SI ON PÈSE 100 KILOS ON DEVRAIT FAIRE 2 MÈTRES

9-21

CE QUI SIGNIFIE QUE, SI VOUS MESUREZ MOINS DE 2 MÈTRES, VOUS N'ÊTES PAS TROP GROS MAIS PLUTÔT, PAS ASSEZ GRAND

JIM DAVIS

MES CHERS CONGÉNÈRES RONDOUILLARDS, EN CETTE SEMAINE DES GROS LARDS

9-22

N'OUBLIEZ PAS QUE LES RONDEURS SONT SEXY

À PRÉSENT, BOUGEZ-VOUS ET ALLEZ BOUFFER UNE FRANCHISE DE POULET FRIT

JIM DAVIS

NOTE DE L'AUTEUR : LA BANDE DESSINÉE D'AUJOURD'HUI EST RÉSERVÉE AUX SEULS OBÈSES OU À CEUX QUI ONT TENDANCE À PRENDRE DU POIDS. LES MAIGRELETS PEUVENT LIRE D'AUTRES BÉDÉS, FAIRE LEUR JOGGING, BOIRE DE L'EAU OU S'ADONNER À UNE ACTIVITÉ MINCEUR DONT J'IGNORE TOUT.

AUJOURD'HUI DÉBUTE OFFICIELLEMENT LA **SEMAINE NATIONALE DE L'OBÉSITÉ**

VENTRUS ET DONDONS, SORTEZ DU PLACARD !

EMPIFFREZ-VOUS SANS CULPABILITÉ

9-23

RAPPELEZ-VOUS NOTRE SLOGAN : « SI CE N'EST PAS CUIT EN GRANDE FRITURE, PAS LA PEINE D'EN MANGER »

NOUS ALLONS BOY-COTTER LA LUZERNE ET RIRE AUX DÉPENS DES MAIGRICHONS

J'AURAIS MIS SUR PIED UN CONGRÈS NATIONAL

MAIS AUCUN PARC À BESTIAUX N'A VOULU COMMANDITER L'ÉVÉNEMENT

JIM DAVIS

SOIS PRUDENT, GARFIELD

GRIMPER AUX RIDEAUX PEUT S'AVÉRER DANGEREUX

CAR JE VAIS TE ROMPRE LES OS SI TU NE DESCENDS PAS DE LÀ SUR-LE-CHAMP!

9-24

OUF! HEUHEU! WOUAAA!

9-25

NON GARFIELD. TU N'ES PAS CONVAINCANT

TANT PIS POUR MON VIEUX NUMÉRO DU GRABATAIRE À L'AGONIE QUI S'EMPARE DU POULET FRIT PENDANT QUE SON MAÎTRE TÉLÉPHONE AU VÉTÉRINAIRE

JIM DAVIS

À TABLE, GARFIELD!

9-26

BONK!

J'AI ENCORE OUBLIÉ DE ME RÉVEILLER AVANT DE SORTIR DU LIT

© 1979 United Feature Syndicate, Inc. JIM DAVIS

WAG WAG WAG

© 1979 United Feature Syndicate, Inc.

PROUF!

WAG WAG WAG

9-27

JIM DAVIS

9-30

ZUT!

LE JARDIN DE FLEURS
DE JON EST UN PEU
DÉFRAÎCHI

JIM DAVIS

© 1979 United Feature Syndicate, Inc.

GARFIELD, AUJOURD'HUI, NOUS ALLONS CHEZ LA VÉTÉRINAIRE

10-1

UNE SUPERNANA MIGNONNE ET BIEN ROULÉE. JE L'ÉPOUSERAIS À LA SECONDE MÊME

© 1979 United Feature Syndicate, Inc.

C'EST RÉCONFORTANT DE VOIR QUE LA SACRO-SAINTE INSTITUTION DU MARIAGE EST TOUJOURS RESPECTÉE

EN UNE FRACTION DE SECONDE!

JIM DAVIS

© 1979 United Feature Syndicate, Inc.

CETTE LIZ EST UN SACRÉ BEAU BRIN DE VÉTÉRINAIRE

ELLE A TOUT CE QUE JE RECHERCHE CHEZ UNE FEMME

ELLE RESPIRE

10-2

JIM DAVIS

J'IMAGINE QUE TU VEUX SAVOIR COMMENT S'EST PASSÉE MA SOIRÉE AVEC LIZ . N'INSISTE PAS

TRÈS BIEN

10·8

ELLE N'EST PAS VENUE. ELLE M'A POSÉ UN LAPIN

JE NE VEUX RIEN ENTENDRE

TU SAIS, GARFIELD. JE TE PRÉFÈRE AUX HUMAINS

ÉLABORE DAVAN-TAGE

© 1979 United Feature Syndicate, Inc.   JIM DAVIS

MIAM MIUM MIUM

10·9

TCHAC! SLURP! MIOUM!

© 1979 United Feature Syndicate, Inc.   JIM DAVIS

MA TANTE EVELYN EST LA CHATTE LA PLUS CHOUETTE QUE JE CONNAISSE

ELLE S'EST COMPLÈTEMENT ÉPILÉE POUR NE PAS SALIR LES CANAPÉS

ELLE VIT À PRÉSENT DANS UNE FAMILLE QUI CROIT QU'ELLE EST UN CHIHUAHUA

JIM DAVIS

© 1979 United Feature Syndicate, Inc.

10-10

YIP! YIP! YIP!

© 1979 United Feature Syndicate, Inc.

YIP! YIP! YIP!

POUR LA DERNIÈRE FOIS, ODIE, **TOI**, COURS APRÈS **TA QUEUE**

10-11

JIM DAVIS

DEBOUT, L'ENDORMI!

CE MATIN, NOUS PRENONS LE PETIT DÉJEUNER DANS LE JARDIN

JE VEUX PARTAGER AVEC TOI CE SUPERBE LEVER DE SOLEIL

10-14 JIM DAVIS

SINON OÙ PEUT-ON VOIR UNE ŒUVRE D'ART EN MOUVEMENT CRÉÉE EXPRÈS POUR SOI, PORTEUSE DE TOUTES LES PROMESSES D'UN NOUVEAU JOUR?

AS-TU DÉJÀ VU CHOSE PLUS BELLE, GARFIELD? EUH, GARFIELD?

© 1979 United Feature Syndicate, Inc.

SORS TON MUSEAU DE MES ŒUFS BROUILLÉS, GARFIELD

ZZZZ

BONJOUR!

BONJOUR IRMA!

LE CAFÉ EST CORSÉ, MON CHOU. ATTENTION AVANT D'Y TREMPER LES LÈVRES

EST-IL CHAUD?

10-19

© 1979 United Feature Syndicate, Inc.

OUAIS

CE N'EST PAS UN CASSE-CROÛTE SIX ÉTOILES

JIM DAVIS

VOUS AVEZ BONNE MINE CE MATIN, IRMA

VOUS VOULEZ RIRE?

10-20

POUR VENIR TRAVAILLER, JE METS DU FOND DE TEINT ET DU ROUGE À LÈVRES. RIEN D'AUTRE, MON CHOU. JE NE METS PAS DE MASCARA À MOINS D'AVOIR UN RENDEZ-VOUS GALANT. SI VOUS VOYEZ CE QUE JE VEUX DIRE?

© 1979 United Feature Syndicate, Inc.

JE NE ME RASE MÊME PAS LES JAMBES

CE N'EST MANIFESTE-MENT PAS UN CASSE-CROÛTE SIX ÉTOILES

JIM DAVIS

SMACK!

10-22

JE DÉTESTE LES PORTES-FENÊTRES

JIM DAVIS

10-23

© 1979 United Feature Syndicate, Inc.

DIS GARFIELD, OÙ EST ODIE?

C'EST FACILE DE LE DÉCOUVRIR

JIM DAVIS

IL SUFFIT DE SUIVRE SA BAVE

Ingrédient : salmigondis

C'EST BIEN CE QUE JE CROYAIS!

POUR LA DERNIÈRE FOIS, **NON** GARFIELD

QUE SE PASSE-T-IL?

© 1979 United Feature Syndicate, Inc.

IL VEUT VOIR LA CARTE DES VINS

FFZZZ!

10-28

MIAM
SMACK
SLURP

© 1979 United Feature Syndicate, Inc.

PFTFF!

BURP

GARFIELD S'EST DONNÉ TANT
DE MAL, JE NE VOULAIS PAS
LUI GÂTER SON PLAISIR

JIM DAVIS

J'AI QUELQUE CHOSE POUR TON GROS APPÉTIT, GARFIELD

FERME LES YEUX ET OUVRE LA BOUCHE

© 1979 United Feature Syndicate, Inc.

JiM DAViS   10·31

VOICI UN CONSEIL UTILE À L'INTENTION DES CÉLIBATAIRES DE CE MONDE

VOTRE DÉTERGENT À LESSIVE RESTERA BIEN AU SEC

SI VOUS LE CON-SERVEZ DANS UNE BOÎTE À BISCUITS

© 1979 United Feature Syndicate, Inc.

11·1   JiM DAViS

MIAM

FLÛTE! JE NE PEUX AVALER UNE BOUCHÉE DE PLUS

GRRR

11-4

BRRR

RRR

© 1979 United Feature Syndicate, Inc.

JIM DAVIS

PLUIE (pl_i) n. f. 1. Eau qui tombe en gouttes des nuages sur la terre.

2. Un dépressif léger.

ZZZZ

© 1979 United Feature Syndicate, Inc.

SCRIIICH!

TU COURS ENCORE APRÈS LES VOITURES, GARFIELD?

11-13

POURQUOI SOMMES-NOUS ICI-BAS ? QUEL EST LE BUT DE L'EXISTENCE ? QUELLE EST NOTRE MISSION ?

MERCI BEAUCOUP DE LA RAPIDITÉ DE VOTRE RÉPONSE

11-14

JIM DAVIS

JIM DAVIS

BEL EFFORT, L'AMI !

COMMENT EST LE CAFÉ, MON CHOU ?

UN PEU TROP CORSÉ

DITES QUE C'EST PAS VRAI! DITES QU'IL N'EN EST RIEN! JE VAIS M'OUVRIR LES VEINES !

11-16

ELLES N'ONT PAS TOUTES LA CONSCIENCE PROFESSIONNELLE AUSSI POUSSÉE

LA PASSIONARIA DES CASSE-CROÛTE

© 1979 United Feature Syndicate, Inc.   JIM DAVIS

11-17

JE N'AIME PAS QUAND GARFIELD DORT SUR MES GENOUX

ZZZ

IL COMMENCE PAR SE BLOTTIR

ZZZ

PUIS IL S'INCRUSTE

ZZZ

© 1979 United Feature Syndicate, Inc.

JIM DAVIS

AH-AH-AH

ATCHOU !

© 1979 United Feature Syndicate, Inc.

SNIFF

11-19

DÉCHIRE LE CANAPÉ TANT QUE TU VEUX, GARFIELD

C'EST DE LA PSYCHOLOGIE INVERSE

© 1979 United Feature Syndicate, Inc.

DE LA PSYCHOLOGIE INVERSE INVERSÉE

11-20

TU DOIS COMMENCER À PRENDRE DES VITAMINES, GARFIELD

PAS QUESTION. MON CORPS EST UN TEMPLE

© 1979 United Feature Syndicate, Inc.   11-21

JE LES AI AJOUTÉES À TA LASAGNE

MÊME UN TEMPLE A BESOIN DE VITAMINE C

JIM DAVIS

ÇA NE T'EMBÊTE PAS QUE TON CHAT SOIT TOUJOURS À TES PIEDS?

PAS DU TOUT. GARFIELD A BEAUCOUP D'AFFECTION POUR MOI

© 1979 United Feature Syndicate, Inc.

11-22

NOUS SOMMES INSÉPARABLES, N'EST-CE PAS, GARFIELD?

TU MARCHES SUR MA QUEUE

JIM DAVIS

JE ME DEMANDE SOUVENT CE QUE RECÈLE CET ESPRIT COMPLEXE QUI EST LE TIEN, GARFIELD

BZZZZZZZZZZZZZ

NE SERAIT-CE PAS MERVEILLEUX SI LES HUMAINS ET LES ANIMAUX POUVAIENT COMMUNIQUER?

PROUF!

JIM DAVIS
© 1979 United Feature Syndicate, Inc.

QUE ME DIRAIS-TU EN CE MOMENT SI TU POUVAIS ME DIRE QUELQUES MOTS?

J'AI ÉCRASÉ UNE MOUCHE SUR TA RÔTIE À LA CANNELLE

11-23

C'EST UN VILAIN RHUME QUE TU AS, GARFIELD

SNIFF

© 1979 United Feature Syndicate, inc.

JE TE CONDUIS CHEZ LA VÉTÉRINAIRE ET NOUS EN FINIRONS AVEC LES MICROBES

JIM DAVIS

NE PARLE JAMAIS «D'EN FINIR» À UN REPRÉSENTANT DE L'ESPÈCE ANIMALE

11-24

DESCENDS DU PLAFOND, GARFIELD

SORS DE LA BOÎTE À GANTS, GARFIELD

© 1979 United Feature Syndicate, Inc.

RETOURNE DANS LA BOÎTE À GANTS, GARFIELD

11-26

© 1979 United Feature Syndicate, Inc.

ÔTE TON NEZ DU PARE-BRISE, GARFIELD

11-27

QUE SE PASSE-T-IL, GARFIELD? QU'ESSAIES-TU DE ME DIRE?

OH!

© 1979 United Feature Syndicate, Inc.

LE MAL DES TRANSPORTS, JE VOIS

© 1979 United Feature Syndicate, Inc.

GARFIELD, CESSE DE JOUER AVEC LA COMMANDE DE MON SIÈGE

À TABLE, GARFIELD! IL Y A UNE LASAGNE, DU POULET ET DE LA PURÉE DE POMMES DE TERRE

JIM DAVIS

11-30

JE PENSE QUE JE VAIS ME SERVIR

© 1979 United Feature Syndicate, Inc.

UN SANDWICH AU BEURRE D'ARACHIDE ET À LA CONFITURE

EH BIEN GARFIELD, C'EST LA DERNIÈRE FOIS QUE LES HAMILTON NOUS INVITENT CHEZ EUX

© 1979 United Feature Syndicate, Inc.

JIM DAVIS

J'ESPÈRE QUE TU AS TIRÉ UNE LEÇON DE CETTE SOIRÉE

EN EFFET

NE JAMAIS AIGUISER SES GRIFFES SUR UN MATELAS D'EAU

12-1

GARFIELD, AS-TU DÉJÀ REMARQUÉ À QUEL POINT LES GENS RESSEMBLENT À LEURS ANIMAUX

HI
HI

HA HA HA

HA

12-2

JIM DAVIS

GARFIELD, DEVINE QUI VIENT NOUS RENDRE VISITE!

12-3

NERMAL! LE PLUS MIGNON DES CHATONS

TU CHERCHES À M'ÉPROUVER, C'EST ÇA?

© 1979 United Feature Syndicate, Inc. JIM DAVIS

MIGNON COMME TOUT!

JIM DAVIS

© 1979 United Feature Syndicate, Inc.

12-4

MIGNON, CE MIMI !

HOP HOP HOP

© 1979 United Feature Syndicate, Inc.

BOUM BOUM BOUM

GARFIELD, LE CONCEPT DE LA MIGNARDISE T'ÉCHAPPE ENCORE

12-5

JIM DAVIS

GRATTE GRATTE GRATTE

© 1979 United Feature Syndicate, Inc.   JIM DAVIS

IL Y A UN AVANTAGE À PARTAGER LA MAISON AVEC UN AUTRE CHAT

12-6

NERMAL !

© 1979 United Feature Syndicate, Inc.

JIM DAVIS

VOUDRAIS-TU ENTRER, GARFIELD?

12-9

JIM DAViS

GARFIELD, LE MOMENT EST VENU DE DISCUTER OUVERTEMENT DE TA DÉPENDANCE AU CAFÉ

AAAHH

12-10

PLIP!

© 1979 United Feature Syndicate, Inc.

CHAUD! CHAUD! CHAUD! CHAUD!

JiM DAViS

12-11

CESSE DE JOUER AVEC LA LAMPE DE POCHE, GARFIELD!

CLIC!

12-14

JIM DAVIS

© 1979 United Feature Syndicate, Inc.

JIM DAVIS

4 PHOTOS EN 1 MINUTE

12-15

© 1979 United Feature Syndicate, Inc.

ALLONS CHEZ UN MARCHAND DE MEUBLES VOIR CE QU'IL NOUS PROPOSE

MEUBLES YVAN DUBOIS

CE CANAPÉ EST SUPERBE. QU'EN DIS-TU GARFIELD?

GARFIELD?

© 1979 United Feature Syndicate, Inc

POW!

KOOOUCH POP
SSSSSS
POW PLIF

·2·16

FÉLICITATIONS L'AMI! VOUS ÊTES DÉSORMAIS L'HEUREUX PROPRIÉTAIRE DE 23 FAUTEUILS GONFLABLES LÉGÈREMENT ABÎMÉS

JE NE M'ÉTAIS PAS AUTANT AMUSÉ DEPUIS LE JOUR OÙ LA QUEUE DE MÈRE-GRAND S'EST COINCÉE DANS L'ESSOREUSE

JIM DAVIS

BAT
BAT

12-17

ZIP!

JE PARIE DIX CONTRE UN QUE JE RESTE ICI JUSQU'À SAMEDI

QUELLE POISSE! ME VOILÀ EMMAILLOTÉ DANS UN STORE À RESSORT

UN GRUMEAU DANS LA SAUCE DE LA DESTINÉE, UNE BOSSE AU CHAMEAU DU SORT, UNE BOULE DANS LA GORGE DE L'INFORTUNE

C'EST DONC VRAI, IL FAUT SOUF-FRIR POUR DEVENIR ÉCRIVAIN!

12-18

© 1979 United Feature Syndicate, Inc.

JIM DAVIS

OH! VOICI VENIR JON!

LE CRIME PARFAIT

HÉ GARFIELD!

T'AURAIS PAS VU MON POULET, PAR HASARD?

12-23

UNE BOUCHÉE DE POULET ET PAS PLUS, GARFIELD

12-24

© 1979 United Feature Syndicate, Inc.

SI TU AVALES, JE SERRE UN NŒUD AUTOUR DE TON COU

JIM DAVIS

QUELLES QUE SOIENT VOS CROYANCES, NOËL SYMBOLISE LA PAIX, L'AMOUR ET L'ENTRAIDE ENTRE LES PEUPLES DE LA TERRE

12-25

JOYEUX NOËL ET BONNE ET HEUREUSE ANNÉE!

PARFOIS, JE SUIS SI SENTIMENTAL QUE JE POURRAIS ME FAIRE UN BISOU

JIM DAVIS   © 1979 United Feature Syndicate, Inc.

LES ARAIGNÉES SONT DES INSECTES FASCINANTS À OBSERVER. LEURS TOILES SONT DES ŒUVRES DE DÉLICATESSE

12-28

MAIS COMMENT FONT-ELLES DE LA DENTELLE ALORS QU'ELLES N'ONT QUE DES PATTES?

JE PARVIENS À COMMUNIQUER AVEC GARFIELD. REGARDE BIEN

AIMERAIS-TU PRENDRE UN BAIN, GARFIELD?

12-29

GARFIELD A RÉPONDU «NON»

GARFIELD! QU'AS-TU FAIT À MA FOUGÈRE?

J'AVAIS CULTIVÉ CETTE FOUGÈRE À PARTIR D'UNE FRONDE!

12·30

QUEL MAL CETTE PAUVRE FOUGÈRE T'AVAIT-ELLE FAIT?!!

TU DOIS COMPRENDRE QUE ...EUH...

JE... EUH...

TU ES SI MIGNON

IL EST DE LA PÂTE À MODELER ENTRE MES GRIFFES

JIM DAVIS

CETTE ANNÉE, JE M'ENGAGE À PERDRE DU POIDS

12-31

À ÊTRE PLUS GENTIL ENVERS LES CHIENS

À ME DOTER D'AILES ET À M'ENVOLER

JIM DAVIS © 1979 United Feature Syndicate, Inc

NOUS VOILÀ DONC EN 2003

© 1980 United Feature Syndicate, Inc.

1-1

JE NE SENS AUCUNE DIFFÉRENCE

JIM DAVIS

C'EST BIEN CE QUE JE CRAIGNAIS

LE SOL EST GLACÉ

CLOP! CLOP!

GARFIELD

© 1980 United Feature Syndicate, Inc.

JIM DAVIS

1-4

© 1980 United Feature Syndicate, Inc.

1-5

JIM DAVIS

ARRIÈRE, GARFIELD! CE CUISSOT DE DINDE EST RÉSERVÉ À MOI SEUL

ATCHOU!

SWICHE
SWICHE
SWICHE

GRATTE
GRATTE
GRATTE

© 1980 United Feature Syndicate, Inc.   1-6

VOUDRAIS-TU UN CUISSOT DE DINDE, GARFIELD?

SEULEMENT SI TU INSISTES

JIM DAVIS

SLURP!

LE CAFÉ EST BRÛLANT, GARFIELD

MERCI DE ME PRÉVENIR

JIM DAVIS

1-7

© 1980 United Feature Syndicate, Inc

QUE VOUDRAIS-TU MANGER AU PETIT DÉJEUNER, GARFIELD?

QUELQUE CHOSE DE DIFFÉRENT

© 1980 United Feature Syndicate, Inc.

1-8

COMME D'HABITUDE, DIS-TU?

NON! NON! NON! NON! NON! NON!

CE SERA DONC COMME D'HABITUDE, !

CE GENRE DE SITUATION CONTRIBUE FORTEMENT À HAUSSER LE TAUX DE SUICIDE CHEZ LES CHATS

GARFIELD

JIM DAVIS

YIP!

PAN!

1-9

JIM DAVIS

ENVOIE-MOI UNE BRIOCHE, JON

MIAM!

1-10

JIM DAVIS

DONNE-MOI UNE BRIOCHE, JON

COMBIEN DE FOIS T'AI-JE DIT DE NE RIEN QUÉMANDER QUAND NOUS SOMMES À TABLE?

ODIE A PARFOIS DE MAUVAISES MANIÈRES

1-11

JIM DAVIS

LES BONNES MANIÈRES SE PERDENT DE NOS JOURS

NON, GARFIELD, TU NE TOUCHERAS PAS À MON POULET

1-12

JE CONNAIS TOUS TES TRUCS, L'AMI. JE TE GUETTE COMME UN AIGLE

JIM DAVIS

C'EST BIEN CE QUE JE PENSAIS

SNIFF

1-14

ZUT! JE CRAINS D'ABOIR ATTRAPÉ LE RHUBE DE CERBEAU

JE NE SAISIS BÊBE PLUS BES PENSÉES

JIM DAVIS © 1980 United Feature Syndicate. Inc.

SNIFF

© 1980 United Feature Syndicate, Inc. 1-15

ALERTE GÉNÉRALE! GARFIELD A LE RHUME. IL EST CONTAGIEUX! QUE PERSONNE N'APPROCHE!

TRÈS COBIQUE!

JIM DAVIS

AT-CHOU!

LE POULET EST À TOI, GARFIELD

JE BOIS POINDRE DES POSSIBILITÉS ÉNORBES

JIM DAVIS

JE HAIS LE RHUBE

SNIFF

MON CERBEAU EST CONGESTIONNÉ, J'AI LA TÊTE GROSSE

JIM DAVIS

ATTENDS QUE J'AT-
TACHE LA LAISSE,
GARFIELD

JE HAIS LES
LAISSES

FFT!

ROAR!

NE CRAINS RIEN, GARFIELD.
UN PASSANT ATTENTIONNÉ
VA NOUS SORTIR DE LÀ

1-27

EUH, M'SIEUR? MADAME,
EXCUSEZ-MOI   HOU HOU!
VOUS LÀ!

VLAN!

SALUT,
JON

SALUT,
LYMAN

POURQUOI
RENTRES-TU
SI TARD?

J'AI DÛ RAMPER
SUR MES LÈVRES

JIM DAVIS

BONJOUR, LIZ! JON À L'APPAREIL. JE DOIS ME RENDRE À LA CLINIQUE POUR LE BILAN DE SANTÉ DE GARFIELD

© 1980 United Feature Syndicate, Inc.

JE SAIS QUE VOUS BRÛLEZ DE MIEUX ME CONNAÎTRE. POURQUOI NE PAS ME FIXER LE DERNIER RENDEZ-VOUS DE LA JOURNÉE, APRÈS QUOI NOUS IRONS DÎNER.

1-28

JON... JON ARBUCKLE MON NOM

JIM DAVIS

BONJOUR LIZ! VOUS VOUS RAP-PELEZ? VOTRE PRINCE CHARMANT POUR VOUS SERVIR!

© 1980 United Feature Syndicate, Inc.

1-29

OH OUI, JE ME SOUVIENS

J'OUBLIE LES NOMS MAIS JE N'OUBLIE JAMAIS UN CRÉTIN

JIM DAVIS

PUISQUE VOUS ÊTES VÉTÉRINAIRE, VOUS DEVEZ AVOIR UNE BONNE MÉMOIRE POUR UNE FEMME

1-30

J'AI UNE BONNE MÉMOIRE POUR UN HOMME

© 1980 United Feature Syndicate, Inc.

VOUS AVEZ ÉGALEMENT DE BELLES COURBES POUR UN HOMME

JIM DAVIS

1-31

ALORS LIZ, À QUAND CE RENDEZ-VOUS GALANT ?

© 1980 United Feature Syndicate, Inc.

ARRIVERIEZ-VOUS À SURVIVRE SI JE RÉPONDAIS JAMAIS ?

OUI

ALORS JAMAIS

CHEZ LES IDIOTS, JON EST UN GÉNIE

JIM DAVIS

FLÛTE! QU'EST-CE QU'IL FAIT FROID CE MATIN!

SPLASH SPLASH

FLUP

GROUOUOU GROUOUOU

© 1980 United Feature Syndicate Inc

MIAM

QUELLE CHALEUR BIENFAISANTE?

AAAH

JPM DAVIS

TU APPRÉCIES VRAIMENT TON CAFÉ, HEIN GARFIELD?

2-3

SERS-TOI, GARFIELD

UN PEU DE CAFÉ AVEC TON SUCRE?

JIM DAVIS © 1980 United Feature Syndicate, Inc.

2-6

VOILÀ QUI DEVRAIT RENVERSER JON. MOI, GARFIELD, QUI FAIS LE GENTIL AVEC ODIE

FLATTE MINOUCHE

2-7

HÉ HÉ! COMME C'EST TOUCHANT!

FLATTE MINOUCHE

C'ÉTAIT DU THÉÂTRE, SOMBRE IDIOT!

JIM DAVIS © 1980 United Feature Syndicate, Inc.

REGARDEZ BIEN. À L'AIDE DE CETTE LIANE, JE VAIS RAVIR LE POULET DE JON

TCHIC TCHIC

ZOUP!

D'OÙ SORT CETTE LIANE?

JIM DAVIS

© 1980 United Feature Syndicate, Inc.

2-10

DEVINE QUOI, GARFIELD! CETTE SEMAINE NOUS ALLONS À LA FERME DE MES PARENTS

© 1980 United Feature Syndicate, Inc.   2-11

UNE SEMAINE?

JE ME FAIS PORTER MALADE TOUTE LA SEMAINE

JIM DAVIS

GARFIELD, IL Y A UNE CHOSE DONT TU DOIS TE RAPPELER QUAND TU SERAS À LA FERME

REGARDE OÙ TU POSES LES PATTES

2-12

© 1980 United Feature Syndicate, Inc.   JIM DAVIS

QU'ON ME LAISSE SORTIR!

© 1980 United Feature Syndicate, Inc.

2-17

JIM DAVIS

BELLE MATINÉE POUR SE PROMENER D'UN BON PAS

JIM DAVIS

2-18

JUSQU'À MA GAMELLE

© 1980 United Feature Syndicate, Inc.

© 1980 United Feature Syndicate, Inc.

2-19

CLAC!

LA VIE ÉTAIT MOINS EXCITANTE AVANT L'INVENTION DE L'OS YOYO

JIM DAVIS

GARFIELD, IL Y A DE LA LASAGNE AU MENU CE SOIR

PTOU!

QUE DIRAIS-TU SI JE LA FAISAIS CUIRE?

JE DIRAIS «VAS-Y»

2·22

GARFIELD, J'AI BESOIN D'UN VIGOUREUX MASSAGE LOMBAIRE

2·23

SUPER! UN TYPE SERAIT HEUREUX DE T'AVOIR POUR ÉPOUSE

PAS LES GRIFFES! PAS LES GRIFFES!

CE N'EST PAS LA FIN, C'EST LE MOYEN QUI M'AMUSE

2 24

JIM DAVIS

TU ES TROP GROS, GARFIELD. JE TE METS AU RÉGIME

2-25

IL ME MET EN ROGNE

SI J'AVAIS PU BONDIR SUR SON FAUTEUIL, JE LUI AURAIS FLANQUÉ LA ROSSÉE DE SA VIE

JIM DAVIS © 1980 United Feature Syndicate, Inc.

TON RÉGIME TE PERMET UNE CAROTTE, GARFIELD. TU SAIS CE QU'IL TE RESTE À FAIRE

2-26

JE LE SAIS PLUS QUE TOUT

JIM DAVIS

LAPIN, LAPIN, PAR ICI. ICI, LAPIN

© 1980 United Feature Syndicate, Inc.

JE SAIS QUE TU N'EST PAS HEUREUX GARFIELD, MAIS JE NE T'IMPOSERAIS PAS RÉGIME, SI TU NE T'EMPIFFRAIS PAS AUTANT

© 1980 United Feature Syndicate, Inc

2-27

JE N'Y PEUX RIEN. J'AI UN TROUBLE GLANDULAIRE

UNE GLANDE BUCCALE HYPERACTIVE

JIM DAVIS

CE RÉGIME ME PÈSE. JE ME SENS FAIBLIR DE MINUTE EN MINUTE.

© 1980 United Feature Syndicate, Inc.

2-28

JE DOIS ÊTRE EN SEVRAGE DE CHOLESTÉROL

ÇA SE PRODUIT QUAND ON VEUT FAIRE UN WHISKY SODA AVEC DU LARD FONDU

JIM DAVIS

NON, GARFIELD! CE CUISSOT DE POULET EST À MOI!

3.2

DES APPLAUDISSEMENTS POUR LES GRIFFES

JiM DAViS

QUAND ARRIVE LE JOURNAL DU MATIN, JE LIS L'ÉDITORIAL EN PREMIER ET JON S'EMPARE DES BANDES DESSINÉES

© 1980 United Feature Syndicate, Inc.

3-5

HA , HA, HA!

DES GOÛTS, ON NE DISCUTE PAS

JIM DAVIS

JIM DAVIS

3-6

SWICHE!

LAISSE-MOI DEVINER. TU AS FAIM

VOILÀ

© 1980 United Feature Syndicate, Inc.

ALLEZ, MON MINET. CHANTE TON REFRAIN

3-7

TRALALA LALÈRE

JIM DAVIS © 1980 United Feature Syndicate, Inc.

OH NON !

© 1980 United Feature Syndicate, Inc. 3-8

POUF !

NE RIGOLEZ PAS. AIMERIEZ-VOUS QUE **VOTRE** PELUCHE SOIT TREMPÉE DE BAVE DE CHIEN ?

JIM DAVIS

LA SEMAINE S'ANNONCE
AGRÉABLE

JIM DAVIS © 1980 United Feature Syndicate, Inc.

ZUT! ZUT ET
REZUT!

3-10

MIAOU

© 1980 United Feature Syndicate, Inc.   3-11

ÉCOUTEZ ÇA

RONRON

LE MARMOT
EST UN CLICHÉ
AMBULANT

PFFT

JIM DAVIS

VOICI, NERMAL. OCCUPE-TOI
À UNE ACTIVITÉ PLUS
CONSTRUCTIVE

3-14

© 1980 United Feature Syndicate, Inc.

NERMAL, DIS AU REVOIR
À GARFIELD

BISOU

JIM DAVIS   © 1980 United Feature Syndicate, Inc.

3-15

GARFIELD, BOUGE TES VIEUX OS, SORS DU LIT ET VIENS DÉJEUNER

JIM DAVIS © 1980 United Feature Syndicate, Inc.

GARFIELD

TCHAC TCHIC

TCHAC TCHIC

TCHAC TCHIC

GARFIELD

TCHAC TCHIC
TCHAC TCHIC
TCHAC TCHIC

GARFIELD

3-17

© 1980 United Feature Syndicate, Inc.

3-18

JE NE REPRÉSENTE RIEN D'AUTRE POUR TOI?

UN OBSTACLE SUR LA VOIE DU DESTIN

JIM DAVIS

GARFIELD, JE SAIS QUE LES CHATS SONT CURIEUX D'INSTINCT

ET JE SAIS QU'ICI TU ES AUTANT CHEZ TOI QUE MOI

MAIS NE T'APPROCHE PAS DE MON TIROIR À CALEÇONS!

3-19

JIM DAVIS

L'INFORMATIQUE ... TOUT EST GÉRÉ PAR ORDINATEUR À PRÉSENT

CE POULET QUE TU AS MANGÉ FUT ÉLEVÉ PAR UN ORDINATEUR

3-20

BURP

JIM DAVIS

ALLONS DÎNER, ODIE

3·21

METS-TOI EN GRANDE TENUE

AVEC UN NŒUD BLANC

© 1980 United Feature Syndicate, Inc.   JIM DAVIS

UNE LÉGENDE DORÉE VEUT QUE LES CHATS SOIENT NERVEUX

© 1980 United Feature Syndicate, Inc.   3·22

OUAH!

JIM DAVIS

LES LÉGENDES ONT SOUVENT UN FOND DE VÉRITÉ

À PRÉSENT, FAISONS BOUFFER TON PELAGE

RRRRRR

© 1980 United Feature Syndicate, Inc.   JIM DAVIS

3-26

IL NOUS FAUT UN STRATAGÈME, GARFIELD, POUR QUE LES JUGES DU CONCOURS TE REMARQUENT

3-27

VOILÀ QUI DEVRAIT FAIRE L'AFFAIRE

TRISTE JOUR QUE CELUI OÙ LE PROPRIO D'UN CHAT NE CRAINT PLUS D'HUMILIER SON COMPAGNON CHÉRI

JIM DAVIS   © 1980 United Feature Syndicate, Inc.

TU VAS DEVOIR FAIRE DES CABRIOLES AU CONCOURS DU PLUS BEAU CHAT, GARFIELD. SAUTE DANS CE CERCEAU

3-28

JE POURRAIS FONDRE EN LARMES

JIM DAVIS © 1980 United Feature Syndicate, Inc.

VITE GARFIELD, C'EST L'HEURE DE SE RENDRE AU CONCOURS

BRRR   GRRR

© 1980 United Feature Syndicate, Inc.   3-29

YIP! GRRR! PFFT!

JE POURRAIS FONDRE EN LARMES

JIM DAVIS

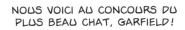

NOUS VOICI AU CONCOURS DU PLUS BEAU CHAT, GARFIELD!

OÙ DOIS-JE POSER MON CHAT?

POSEZ-LE ICI

CONCOURS DU PLUS BEAU CHAT

JIM DAVIS 3-30

CONCOURS DU PLUS BEAU CHAT